怕浪費奶奶的生活寶典

文・圖 真珠真理子

譯 詹慕如

怕ㄆㄚˋ浪ㄌㄤˋ費ㄈㄟˋ奶ㄋㄞˇ奶ㄋㄞˇ一邊說ㄕㄨㄛ「真ㄓㄣ可ㄎㄜˇ惜ㄒㄧ」，一邊ㄅㄧㄢ走ㄗㄡˇ過ㄍㄨㄛˋ來ㄌㄞˊ啦。

珍惜飯粒

他們是不是很可憐！

所以每一粒都要吃，不能剩下！

剩下這麼多，真是太可惜了。

你沒有聽見他們的哭聲嗎？

不願意把我吃掉嗎？

你要把我丟掉嗎？

我生下來就是為了成為美味米飯，太過分了！

我好不容易才長到這麼大！

不要把我留下!!

我不甘心～我要變成冤魂～

【飯粒兄弟】

「留在碗裡的飯粒真可惜！」

奶奶一邊說，一邊走過來了。

稻米躲過了蟲子、麻雀、山豬，戰勝烈日和颱風，經過180天才成為米飯！不用心品嘗的話，實在太可惜！

2

 # 珍惜魚肉

啊，真好喝！

咕嚕咕嚕，喝光光。

奶奶一邊說「真可惜」，一邊走過來了。

聽到有人喊「吃魚好麻煩」，

剩下的魚骨可以油炸成魚骨酥，是很好吃的零嘴。

這個真好吃！

魚吃到最後可以加入熱水，泡成魚骨湯。

剔下魚骨上的碎肉，就會變成美味的高湯唷。

魚骨湯也可以用熱茶來沖泡。
竹筴魚和沙丁魚的魚骨最適合拿來炸魚骨酥了。

珍惜蒲公英

哎呀！我不小心跌了一跤。

奶奶一邊說「真可惜」，一邊走過來了。

既然都跌倒了，如果不找些好東西，那就太可惜了。

奶奶拔起眼前的蒲公英。

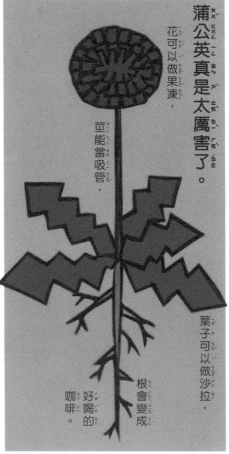

蒲公英真是太厲害了。

花可以做果凍，

莖能當吸管，

根會變成好喝的咖啡。

葉子可以做沙拉，

哇！是蒲公英全餐！

炸成天婦羅也很好吃唷。

咖啡

天婦羅

果凍

沙拉

餅乾

果凍

把去掉花萼的花瓣放入沸騰的熱水後關火。等熱水變成黃色再取出花瓣，用蜂蜜跟檸檬調味，再加入吉利丁凝結成果凍。

笛子

把莖切成5公分長。用手把吹口壓扁，放在嘴邊就能吹出聲音。

咖啡

把根切碎，放在陽光下晒乾再乾炒至沒有水分，接著用食物處理機打成粉狀。加一湯匙到熱水裡，攪拌均勻後飲用。

盡量挑選乾淨的蒲公英，仔細清洗後再使用唷。

 # 珍惜學習機會

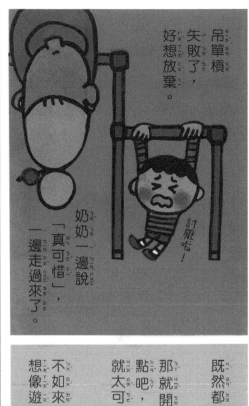

吊單槓失敗了，好想放棄。

奶奶一邊說「真可惜」，一邊走過來了。

既然都得練習，那就開心一點吧，不然就太可惜了。

不如來試試想像遊戲吧？

想像遊戲？

你試著想像下面有一條河，河裡有一條會吃人的鱷魚。

快點！不然會被鱷魚吃掉唷！

哎哟！這樣一點都不許玩！

啊！我會了！

大功告成！

我以前也是這樣練習的。

珍惜自己能做的事

準備明天要用的物品，還有整理東西。

奶奶一邊說「真可惜」，一邊走過來。

要帶這個，還有那個。

釦子扣錯了，重來一次。

真拿你沒辦法。

明明能自己做，卻不動手，真是太可惜了。

媽媽你不要管他，這些事他早就會了。

打翻牛奶得擦桌子。

真是的。

明明辦得到卻不去做，這叫什麼？

真可惜！

珍惜 T恤

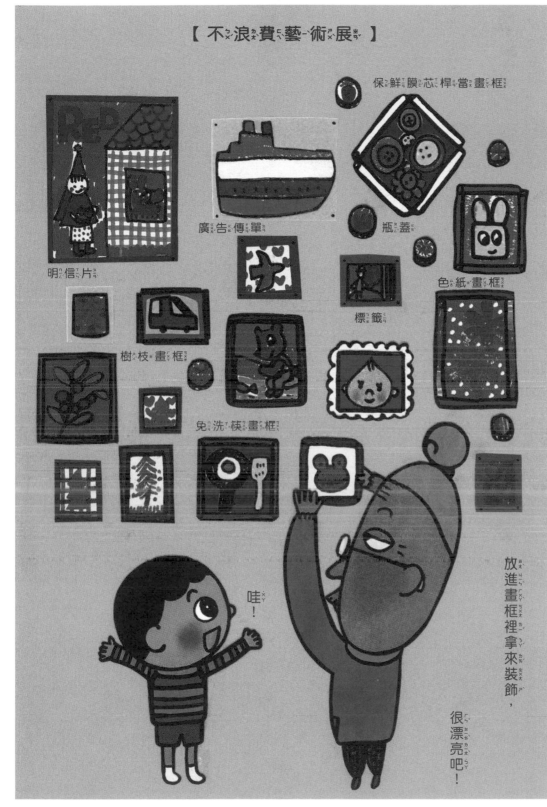

【 不浪費藝術展 】

保鮮膜芯桿當畫框

明信片

廣告傳單

瓶蓋

色紙畫框

標籤

樹枝畫框

免洗筷畫框

哇!

放進畫框裡拿來裝飾,很漂亮吧!

我正想把有破洞的T恤丟掉,奶奶一邊說「真可惜」,一邊走過來了。

這麼可愛的衣服竟然要丟掉,真是太可惜了。可以送給我嗎?

奶奶要拿去做什麼?

把剩下的布剪成細條狀,還可以做成布拖鞋。

珍惜便當

我要看便當裡有什麼菜！

就在這裡吃午餐吧。

飯是咖啡色的！

這是糙米。

我媽媽會把青椒的種子刮掉，胡蘿蔔的皮和白蘿蔔的皮，也都會丟掉。

真可惜！皮和種子裡藏著很多營養呢。

好香喏！

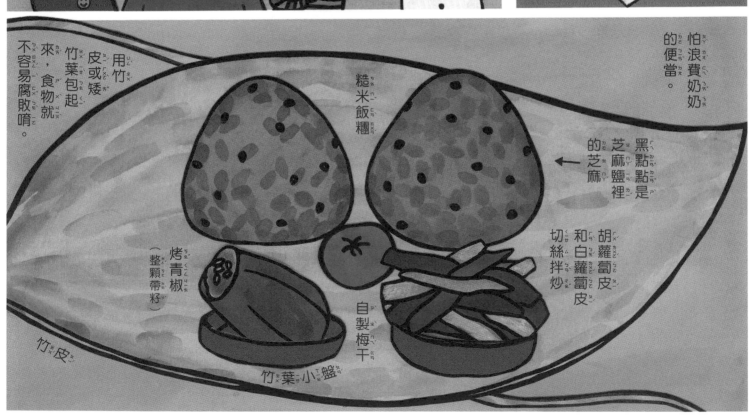

怕浪費奶奶的便當。

糙米飯糰

黑點點是芝麻鹽裡的芝麻

胡蘿蔔皮和白蘿蔔皮切絲拌炒

用竹皮或矮竹葉包起來，食物就不容易腐敗唷。

烤青椒（整顆帶籽）

自製梅干

竹葉小盤

竹皮

【糙米】
是指去除稻米外層硬殼後的米。如果再把胚芽或米糠去除掉，就成了白米。

【烤青椒的作法】
青椒切掉蒂頭後加入美乃滋，放進烤箱烤。淋上梅子醋會更好吃唷。

珍惜螢火蟲

要不要過去那裡看看？

天已經黑了，要去哪裡呀？

來就知道了。

奶奶你怎麼關燈了？

好黑好可怕唷！

要尿出來了啦！

奶奶你在哪裡？

燈亮著可看不到，那就太可惜了！

哇，是螢火蟲！有好多螢火蟲在飛。

噓！螢火蟲是靠彼此的光來交談，要是太大聲，會把牠們都嚇跑的。

沒有燈雖然很黑，但只要眼睛漸漸習慣，就能看見東西。有些東西在有光的時候反而看不見呢。不好好享受漆黑的樂趣，真是太可惜了！

珍惜牙齒

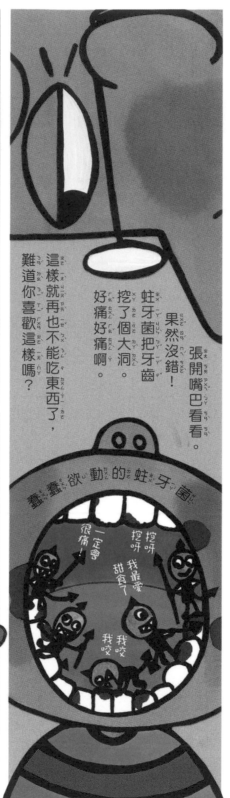

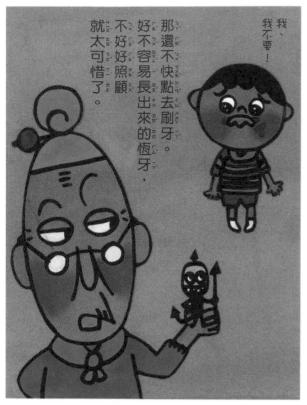

【怕浪費奶奶的手工牙粉】
①把繁縷（日本的春季七草之一）晒乾，跟鹽巴混合後用研缽搗碎。②丁香的花苞（賣香料的地方可以買到）也同樣用研缽搗成粉，跟①攪拌在一起就完成了。用牙刷沾一點就可以拿來刷牙。

 珍惜下雨天

奶奶你好！
我來找你玩了！

已經好幾天了，雨一直下個不停，真無聊。

奶奶聽了應該會一邊說「真可惜」，一邊走過來吧。

但是過了好久，她都沒有來。

怕浪費奶奶怎麼了？去看看吧。

下雨天睡午覺，還有什麼比這更舒服呢？

躺下來看著雨滴，就漸漸睏了。

聽著各種不同的雨聲，聞著雨的味道。

滴滴，沙沙——

嘩嘩，刷刷——

您在做什麼呢？

我在看雨呀。

 【雨天畫畫】

下雨天用水性筆在面紙上塗色後，拿到外面放著，雨水滴到面紙上，那些顏色會變成什麼樣子呢？跟雨一起玩也很有意思唷。

珍惜彩虹

有一道好大的彩虹，

爬上去看看吧。

大家都在看我，

正當我這麼想……

也有人完全沒注意到，一直埋頭走路。

彩虹這麼漂亮……

喂—我在這裡—

咦？

彩虹出來了唷。快點去看，不然太可惜了。

這時我剛好醒來。

你快點回來！

噢！彩虹要消失了。

哇！滑雪成功！

就聽到了怕浪費奶奶的聲音。

這麼漂亮的彩虹竟然會消失，真是可惜。

能看到彩虹是一件很幸運的事呢！

不，如果彩虹永遠不消失，大家就不懂得珍惜彩虹的美。

能看到時不好好把握，那就太可惜了啦！

珍惜蒂頭

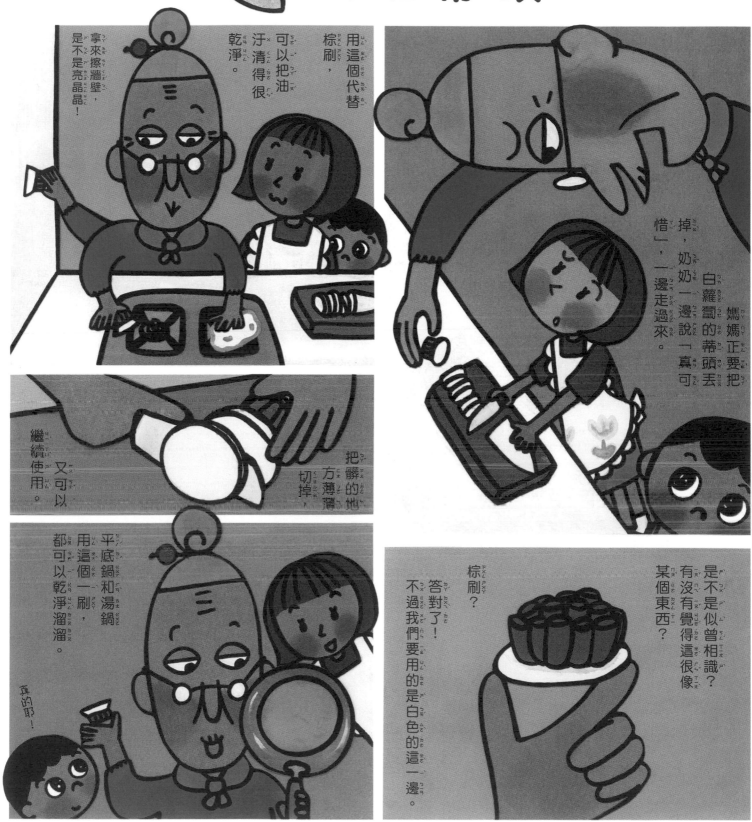

媽媽正要把白蘿蔔的蒂頭丟掉，奶奶一邊說「真可惜」，一邊走過來。

用這個代替棕刷，可以把油汙清得很乾淨。

拿來擦牆壁，是不是亮晶晶！

把髒的地方薄薄切掉，又可以繼續使用。

平底鍋和湯鍋用這個一刷，都可以乾淨溜溜。

真的耶！

是不是似曾相識？有沒有覺得這很像某個東西？

棕刷？

答對了！不過我們要用的是白色的這一邊。

胡蘿蔔的蒂頭泡在水裡就會長出嫩葉唷。
可以用來裝飾房間，也可以剪下來點綴餐盤，
很漂亮吧？

珍惜鉛筆

左手拿鉛筆，
右手拿美工刀，
用左手大拇指
推著刀刃慢慢削，
如果是左撇子，
記得左右手要反過來拿。

削好了！

不用這麼急
著削尖。

變得這麼短，
真是太太太可惜了！

讓我來教教你怎麼用
美工刀削鉛筆。

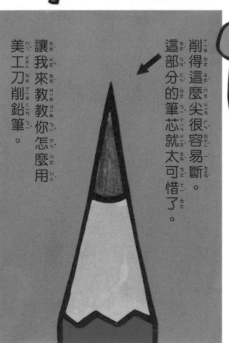

削得這麼尖很容易斷。
這部分的筆芯就太可惜了。

削鉛筆，削哇削。

奶奶一邊說「真可惜」，
一邊走過來了。

用美工刀把鉛筆的筆芯削成不會太尖銳的短圓柱狀，就是
我怕浪費奶奶的風格。記得刀刃不可以朝向別人唷。

 # 珍惜涼爽

 開太多空調不僅太浪費能源，對身體也不好。
灑水的時間建議在傍晚。可以種些有藤蔓的植物當作綠色窗簾，例如小黃瓜等。如何在炎熱的夏天努力找出一絲涼意，這正是怕浪費奶奶的堅持！

珍惜西瓜

西瓜籽的營養也也很豐富，在中國就會把醃甜的西瓜籽當零食吃。撒點鹽巴，用平底鍋炒過後，吃起來也很香唷。

珍惜海洋

喂！
你們在做什麼！

啊！
大哥哥們在丟空罐！

把漂亮的
海洋變成
垃圾桶，
真是太可惜了！
就在這時候……

每個人都丟一個垃圾，
很快就會累積成一大堆。

大批垃圾在海面上漂哇漂，
隨著大海漂到各處。

我只掉了一個
垃圾呀。

我到海邊玩時，
垃圾掉了沒有撿起來。
奶奶一邊說「真可惜」，
一邊走過來了。

你不撿起來嗎？
那誰要撿呢？

有時候海龜看到被沖到海邊的塑膠袋，會誤以為是可以吃的水母，一吃就送命。這個世界的垃圾不會消失，但如果因為垃圾太多，再也看不到美麗的大自然，那就太可惜了。記得把垃圾帶回家，仔細分類回收唷。

在超市伸手去按桃子、番茄、魚的包裝，奶奶會一邊說「真可惜」，一邊走過來唷。

按過的地方食物就會受損唷。這些東西都是商品，不可以這樣做。

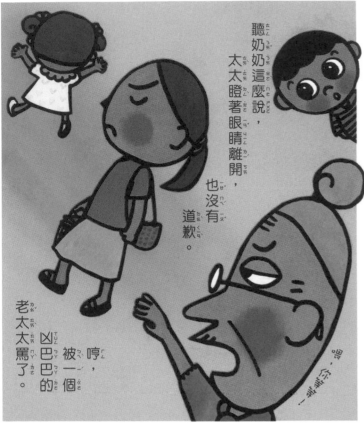

聽奶奶這麼說，太太瞪著眼睛離開，也沒有道歉。

哼，被一個凶巴巴的老太太罵了。

本來想告訴她，這樣做很可惜，連勸告都不聽，這樣更可惜了。

要是這些東西賣不出去被丟掉，那該怎麼辦。

真是的。

怕浪費奶奶也有無法發揮功力的時候呢。

珍惜小動物

獨角仙、鍬形蟲、鈴蟲跟金魚，都得好好照顧，不然奶奶會一邊說「真可惜」，一邊走過來唷。

放在這麼熱的地方，很快就會臭掉的。

什麼東西這麼臭？是西瓜臭掉了呀！

假如是你被關在籠子裡，你覺得怎麼樣？

房間裡都是廚餘臭味，

有些生命只能活一個短短的夏天，得好好愛惜才行。

放我出去！好臭好臭！不要啦！我想回家！

要經常關心他們的狀態。

飼料夠不夠？

沒吃完的飼料記得清乾淨。

鍬形蟲和獨角仙最愛吃香蕉。

籠子裡很髒也不錯嗎。

怎麼了～會拉肚子的。

在山上抓到的昆蟲、夜市裡撈到的金魚……你是不是都丟給媽媽照顧，裝作不關自己的事呢？如果沒辦法自己照顧，就不要帶回家。

懂得感到「可惜」，就是懂得珍惜生命的心情。

字寫得歪七扭八、潦草凌亂。奶奶會一邊說「真可惜」，一邊走過來唸。

數學回家功課，我明明算對了，老師卻沒有給我分數。

5+4=ㄅ
2+3=ㄐ
3+5=？
7-4=ㄅ
10-6=ㄆ

5+4怎麼會是7呢？我寫的是9哇。

啊？這是9嗎？

那2+3呢？

是5哇！

這怎麼看得出來！明明都算對了，卻被以為寫錯，真是太可惜了。

這樣怎麼可能寫得好！

你寫字的時候，該不會是這個姿勢，或者這個姿勢吧？

哇！好醜！

畫人像也一樣，會歪七扭八。

寫數字和國字、注音時，都要端正坐好。把字寫得漂亮其實並不困難。

奶奶你快來看！

有一臺電視機掉在路邊。在這裡！

奶奶被拉到路邊一看……

不只電視，還有桌子、椅子、櫥櫃、吸塵器和冰箱。

都是還能用的東西。

怎麼回事呢？

這時，旁邊傳來一個聲音。

你們在我家垃圾前面做什麼!?

啊，是錢婆婆！

垃圾？都還好好的啊，真是太可惜了！難道這些東西都已經壞掉，修不好了嗎？

怕浪費奶奶的天敵出現了！

囉唆！我想丟東西，關你什麼事，少管閒事！

這個人是金山凱錢子，大家都叫她「錢婆婆」。她住在怕浪費奶奶家隔壁，最喜歡買新東西。每次買了新東西，就會把舊的丟掉，堆成一座垃圾山。

哎，竟然白白送給她，真可惜！

珍惜過生日

 謝謝大家唷！

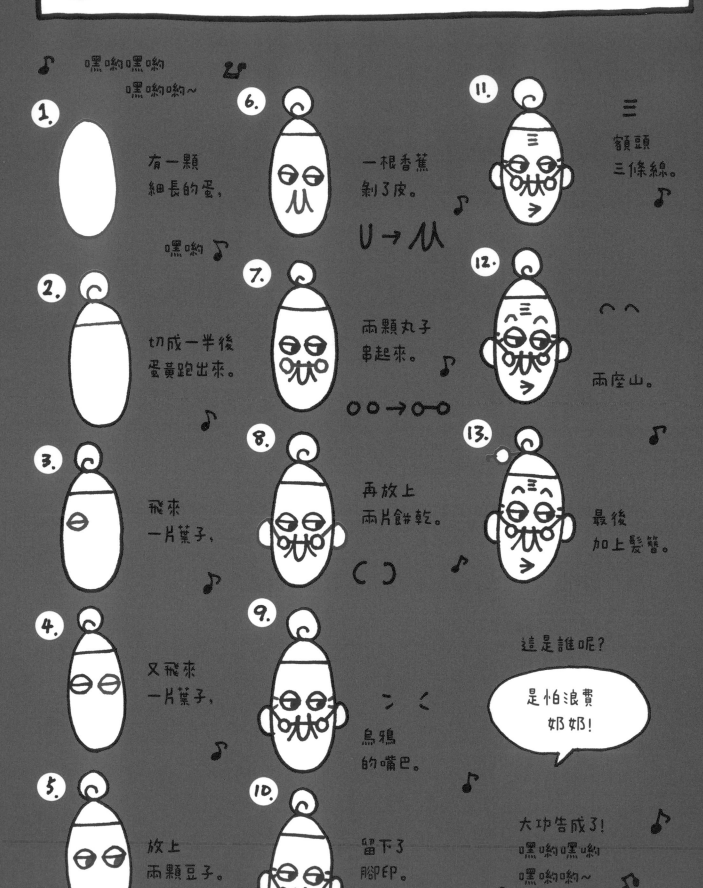

作者後記

「可惜」是什麼意思？有一天兒子這麼問我。

到底該怎麼解釋「可惜」這個概念呢？聽說在英文裡沒有完全對應的單字，在日文裡似乎也不容易說明清楚……這到底是什麼意思呢？為了能清楚說明這個概念，我畫了這套繪本《怕浪費奶奶》。

在我們的國家，有取之不盡、用之不竭的食物和物品，孩子們要切身體會「可惜」這件事，並不容易。

「可惜」這個詞彙，通常會在我們沒有把東西的價值發揮完全就丟棄，或者過於浪費的時候使用。在這兩個字裡，包含著我們對自然的恩惠、對提供物品的人應有的感謝和體貼。

希望閱讀這本繪本的孩子們能夠知道，智慧和創意可以幫助我們在日常生活中找到答案，同時也希望孩子們都能擁有愛物惜物的心，懷抱著愛和體諒，開心的學會什麼是「懂得可惜」。

真珠真理子

作者簡介

真珠真理子

出生於日本神戶，在大阪與紐約的設計學校學習繪本創作。2004 年出版的《怕浪費奶奶》（もったいないばあさん）大受歡迎，在日本獲得許多繪本獎項，並且在每日新聞、朝日小學生新聞等報紙開始連載，至今發行了 17 本系列作品，銷量突破 100 萬冊，並售出多國語言版權。

真珠真理子筆下的「怕浪費奶奶」多年來持續收到世界各地孩子們的喜愛，2008 年開始在日本各地展開「怕浪費奶奶 World Report」巡迴展覽，呼籲大眾關注地球上與我們生活息息相關的各種問題，並在 2020 年動畫化。

繪本 0271

怕浪費奶奶的生活寶典

文 · 圖｜真珠真理子（真珠まりこ）
譯｜詹慕如

責任編輯｜張佑旭
特約編輯｜劉握瑜
封面設計｜王慧雯
行銷企劃｜劉盈萱

天下雜誌群創辦人｜殷允芃
董事長兼執行長｜何琦瑜
媒體暨產品事業群
總經理｜游玉雪
副總經理｜林彥傑
總編輯｜林欣靜
行銷總監｜林育菁
副總監｜蔡忠琦
版權主任｜何晨瑋、黃微真

出版者｜親子天下股份有限公司
地址｜台北市 104 建國北路一段 96 號 4 樓
電話｜（02）2509-2800　傳真｜（02）2509-2462
網址｜www.parenting.com.tw
讀者服務專線｜（02）2662-0332　週一～週五：09:00~17:30
傳真｜（02）2662-6048　客服信箱｜parenting@cw.com.tw
法律顧問｜台英國際商務法律事務所 · 羅明通律師
製版印刷｜中原造像股份有限公司
總經銷｜大和圖書有限公司　電話：（02）8990-2588

出版日期｜2021 年 5 月第一版第一次印行
　　　　　2024 年 4 月第一版第五次印行

定價｜320 元
書號｜BKKP0271P
ISBN｜978-957-503-978-3（精裝）

訂購服務 ————————————
親子天下 Shopping｜shopping.parenting.com.tw
海外 · 大量訂購｜parenting@cw.com.tw
書香花園｜台北市建國北路二段 6 巷 11 號　電話（02）2506-1635
劃撥帳號｜50331356　親子天下股份有限公司

國家圖書館出版品預行編目 (CIP) 資料

怕浪費奶奶的生活寶典 / 真珠真理子文．圖；詹慕如譯 . -- 第一版 . -- 臺北市：親子天下股份有限公司，2021.05
32 面；21×29.7 公分
ISBN 978-957-503-978-3(精裝)
861.599　　　　　　　110004474

立即購買 >